Inde

Voyages autour du monde

Elaine Jackson

Éditions
SCHOLASTIC

Catalogage avant publication de Bibliothèque
et Archives Canada

Jackson, Elaine, 1954-
        Inde / Elaine Jackson ; texte français de
Marie-Line Hillaret.

(Voyages autour du monde)
Traduction de: India.
Comprend un index.
Public cible: Pour les 8 à 12 ans.
ISBN 978-1-4431-0120-2

1. Inde--Descriptions et voyages--Ouvrages pour la jeunesse.
2. Inde--Ouvrages illustrés--Ouvrages pour la jeunesse. I. Titre.

DS414.2 J3314 2010   j915.404'530222
C2009-904396-3

Pour toute information concernant les droits, s'adresser à
QED Publishing, 226 City Road, Londres, EC1V 2TT, R.-U.

Édition publiée par les Éditions Scholastic,
604, rue King Ouest, Toronto (Ontario) M5V 1E1

5 4 3 2 1   Imprimé en Chine   10 11 12 13 14

Crédits photographiques :
Légende : h = haut, b = bas, m = milieu, c = centre,
g = gauche, d = droite

Corbis Amit Bhargara 23m / Sheidan Collins 24 /
David Cummings 19h / Bennett Dean 22 / David H.
Wells 25h / Blaine Harrington III 27h / Chris Hellier 27b
/ Robert Holmes 15m, 17h / Jeremy Horner 13 / Earl
Kowall 18m, 18b, 24h / Caroline Penn 17b / Christian
Simonpietri 6-7;
Getty Glen Allison page de titre, 2h,14b / Nicholas Ve Vore
25b / Mark Downey 16-17 / Ben Edwards 15h / Ingo Jezierski
2b / Santokh Kochar 2m, 7h / Philip Lee Harvey 26b / Chris
Noble 7b / Slede Preis 9b, 17m / Martin Puddy 8-9 / Herb
Schmitz 22-23 / David Sutherland 20-21 / Art Wolfe 21h;
Greta Jensen 9bd, 10-11, 11hd, 23hg.

Ce livre s'adresse à des enfants de 7 à 11 ans. Il a été décidé
de représenter les frontières internationales et régionales des
zones en conflit en simplifiant la situation réelle.

Les mots en **gras**
sont expliqués dans
le glossaire page 28.

Sommaire

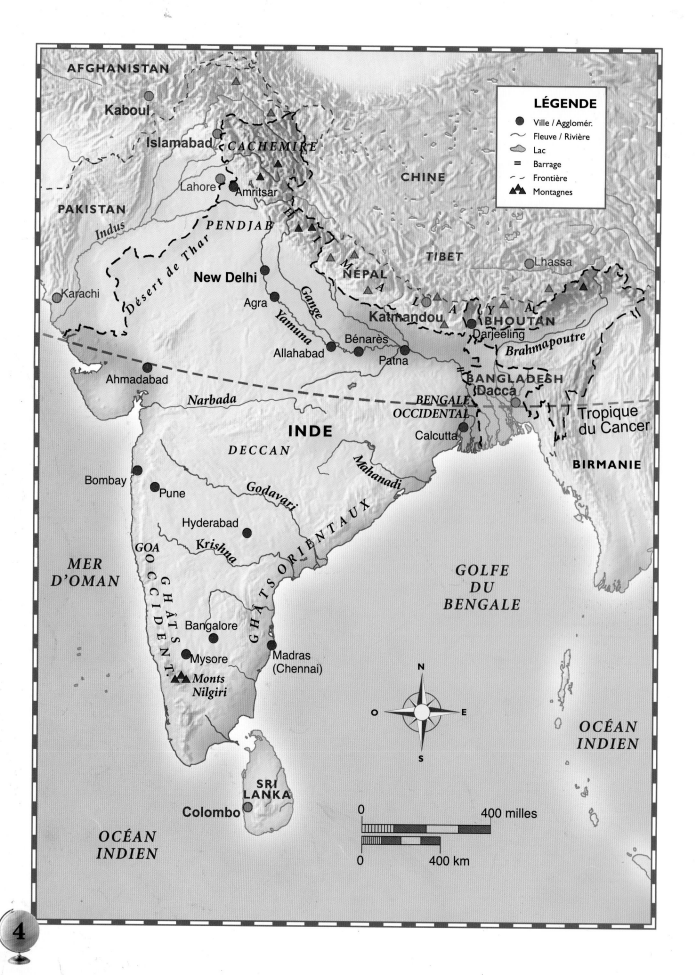

AFGHANISTAN

Kaboul

Islamabad

CACHEMIRE

CHINE

PAKISTAN

Lahore

Amritsar

PENDJAB

Indus

Karachi

Désert de Thar

New Delhi

Agra

Yamuna

Gange

Allahabad

Bénarès

Patna

NÉPAL

A

Katmandou

L

A

Y

A

Darjeeling

BHOUTAN

Brahmapoutre

TIBET

Lhassa

BANGLADESH

Dacca

Tropique
du Cancer

Ahmadabad

Narbada

BENGALE
OCCIDENTAL

Calcutta

BIRMANIE

INDE

DECCAN

Mahanadi

Bombay

Pune

Godavari

Hyderabad

Krishna

GOA

GHÂTS OCCIDENT.

GHÂTS ORIENTAUX

MER
D'OMAN

Bangalore

Mysore

Madras
(Chennai)

*Monts
Nilgiri*

GOLFE
DU
BENGALE

OCÉAN
INDIEN

N

O   E

S

SRI
LANKA

Colombo

OCÉAN
INDIEN

LÉGENDE

● Ville / Agglomér.
～ Fleuve / Rivière
◗ Lac
═ Barrage
- - - Frontière
▲▲ Montagnes

0   400 milles

0   400 km

4

Où se trouve l'Inde?

L'Inde se trouve dans la partie méridionale – au sud – du **continent** asiatique. Elle est bordée par la mer d'Oman à l'ouest, le golfe du Bengale à l'est, l'océan Indien au sud et la chaîne de l'Himalaya au nord (voir carte). L'Inde a des frontières communes avec le Bangladesh, le Pakistan et plusieurs autres pays.

La population de l'Inde est très dense. Plus d'un milliard de personnes vivent dans ce pays, ce qui représente presque un sixième de la population de la Terre. L'Inde est le second pays du monde le plus peuplé après la Chine.

▼ L'Inde dans le monde

Inde

▲ Le drapeau de l'Inde

Le sais-tu?

Nom officiel République d'Inde
Situation Sud de l'Asie
Pays environnants
Bangladesh, Pakistan, Népal, Afghanistan, Sri Lanka, Tibet, Bhoutan
Mers et océans environnants
Mer d'Oman, golfe du Bengale, océan Indien
Longueur des côtes 5630 km
Capitale New Delhi
Superficie 3 287 263 km^2
Population 1030 000 000
Espérance de vie Hommes : 57, femmes : 58
Religions Hindous (80 %), musulmans (14 %), chrétiens, sikhs, bouddhistes, jaïns
Langues L'hindi et l'anglais sont les langues officielles. Il existe également 15 autres langues régionales
Climat Soumis au cycle des moussons
La plus haute chaîne de montagnes Himalaya
Principaux fleuves Gange (longueur : 2478 km), Indus (longueur : 2 897 km), Brahmapoutre (longueur : 2 897 km)
Monnaie Roupie

À quoi ressemble l'Inde?

Un pays de contrastes

Si tu voyages en Inde, tu auras l'impression de visiter deux pays : l'Inde **rurale** et l'Inde **urbaine**. Des dizaines de millions de personnes vivent très pauvrement dans les villages, où les méthodes d'élevage et d'agriculture n'ont pas changé depuis des centaines d'années. En même temps, les villes indiennes tentaculaires prospèrent grâce au développement d'**industries** de haute technologie.

▼ Dans les villes indiennes, et les Ghâts occidentaux, les magasins sont empilés les uns sur les autres et vendent de tout, des costumes aux ouvre-boîtes.

Gros plan sur les paysages

L'Inde offre des paysages très variés. Au nord se trouve la chaîne de l'Himalaya. Elle comprend les sommets les plus hauts du monde et les plus grandes étendues enneigées en dehors des régions polaires.

Au sud de l'Himalaya s'étend l'immense plaine où coule le Gange. L'Inde méridionale est un vaste plateau, le Dekkan. Il est entouré de montagnes, les Ghâts orientaux et les Ghâts occidentaux.

▼ En Inde, beaucoup de zones rurales sont pauvres. Les paysans utilisent toujours les outils agricoles traditionnels, lents mais fiables.

Un climat mélangé

Si tu traverses le pays de part en part, tu auras froid dans les régions montagneuses où les neiges sont éternelles, et chaud dans les régions désertiques où il ne pleut pas ou presque. L'essentiel de la pluie tombe à une seule saison, pendant les quatre mois d'été.

La signification du drapeau

La rayure orange du drapeau indien évoque le courage et le sacrifice; la rayure blanche, la vérité, la pureté et la paix; la verte, la foi et la croissance. Le symbole du centre est la roue d'Ashoka, la roue de la loi ou du progrès.

▼ La chaîne de l'Himalaya, au nord de l'Inde

Le climat au fil des saisons

Les mois les plus frais

La majorité du pays jouit d'un climat tropical avec trois saisons principales.

Si tu visites l'Inde pendant la saison la plus fraîche, entre octobre et mars, tu seras certainement étonné par les vents chauds et secs qui soufflent sur le pays, du nord-ouest vers le sud-ouest.

Les mois les plus humides

Si tu voyages en été, de juin à septembre, tu connaîtras la mousson, un vent tropical qui souffle du sud-ouest et balaye tout le pays. Il arrive en Inde par l'océan Indien et apporte beaucoup d'eau. Tu trouveras ce vent vraiment très étrange, car la pluie qu'il libère est chaude et tombe en grosses gouttes.

▼ En Inde, la vie continue même quand les rues sont inondées par les pluies dues à la mousson.

LES TEMPÉRATURES ET LES PLUIES À BOMBAY

	Jan	Fév	Mars	Avril	Mai	Juin	Juil	Août	Sept	Oct	Nov	Déc
Témpérature (°C)	24	25	27	30	29	26	26	27	28	26	26	25
Pluies (en mm)	2	2	2	0	8	450	750	350	250	80	8	2

LES TROIS SAISONS EN INDE

Mois	Température	Précipitations
Octobre à mars	Fraîche 24–25 °C	Sèche : moins de 10 mm par mois
Avril et mai	Chaude 28–31 °C	Sèche : moins de 30 mm par mois
Juin à septembre	Chaude 27–29 °C	Très humide : plus de 600 mm par mois

Juin à septembre

Octobre à mars

ASIE
AIR CHAUD
BASSE PRESSION

INDE

Mer d'Oman

Golfe du Bengale

Équateur 0°

OCÉAN INDIEN

Mer d'Oman

Golfe du Bengale

OCÉAN INDIEN

◀ Les flèches rouges montrent le sens du vent qui souffle en Inde pendant les saisons humides et fraîches.

Aidons Geeta

❓ En juillet, Geeta va aller voir ses grands-parents à Bombay. Quel type de vêtement doit-elle mettre dans sa valise?

❓ Geeta vit à Vancouver, en Colombie-Britannique. La pluie qui tombe en été à Bombay ressemble-t-elle à celle qui tombe à Vancouver ?

Visiter la campagne

La vie dans les villages

Les deux tiers de la population indienne vivent dans les villages. Si tu traverses quelques villages, tu verras des gens cultiver de petits lopins de terre. Toute la famille travaille la terre, y compris les enfants. En Inde, beaucoup d'enfants n'ont pas les moyens d'aller à l'école et moins de la moitié de la population sait lire et écrire.

L'agriculture

À la campagne, on cultive souvent la terre à la main. La plupart des paysans n'ont pas assez d'argent pour acheter des tracteurs. Ils utilisent des outils agricoles traditionnels qui datent de plusieurs centaines d'années. Beaucoup de villages n'ont ni eau courante ni **égouts**. Cette situation est préoccupante, car elle engendre des maladies.

Les vaches

En Inde, vaches, **bœufs** et buffles jouent un rôle important dans la vie d'un village. Souvent, leurs cornes sont peintes de couleurs vives pour montrer à qui ils appartiennent. Le lait de vache et les produits laitiers (beurre, fromage et yaourt) constituent une source d'alimentation essentielle pour les villageois. Dans la religion hindoue, la vache est un animal **sacré** et sa viande n'est jamais mangée. La bouse de vache sert à la fois d'engrais et de combustible.

▼ Les familles travaillent dur dans les champs. Les femmes et les filles aident à semer et récolter, ainsi qu'à traire les animaux, chercher l'eau, préparer les repas et s'occuper des jeunes enfants.

▲ En Inde, les paysans n'ont pas les moyens d'acheter des machines agricoles modernes. Ils utilisent les bœufs et les buffles d'Asie pour tirer leurs charrues. Tous les produits que la famille ne consomme pas sont transportés au marché (haat) en charrette pour être vendus ou échangés contre d'autres marchandises.

Extrait du journal de Suribi
Suribi raconte la vie dans son village.

J'ai dix ans. J'habite à Chembakolli au sud de l'Inde. Tous les jours, j'aide ma mère à chercher l'eau au puits et à faire la cuisine. Nous cuisinons dehors, dans la cour de la maison, sur un réchaud à gaz. Je m'occupe de mon petit frère et de ma petite sœur, de notre vache et de nos chèvres. Je fabrique du combustible en mélangeant de la bouse de vache avec de la paille que je laisse sécher. Je vais à l'école trois heures par jour, sauf si mes parents ont besoin de moi pour travailler dans les champs.

Visiter les régions agricoles

En Inde, l'année agricole est liée au cycle des moussons. L'agriculture varie d'une région à l'autre et dépend du climat, du sol et du paysage.

Le Nord-Ouest
Nous commençons notre visite par le Ladakh, où poussent l'orge, les choux et les pommes de terre. Le Cachemire cultive des fruits et du riz. Dans les plaines riches du Panjab, on trouve du blé, du riz et des légumineuses.

Autour du Gange
L'immense plaine du Gange est la principale région de culture des céréales : blé, maïs, riz et légumineuses. On y trouve également beaucoup de fruits (citrons, pommes, tomates…), de légumes (choux-fleurs, aubergines, épinards) et d'épices.

◄ Des petites boutiques vendent des fruits d'excellente qualité.

Le Nord-Est
L'Inde est le plus grand **exportateur** de thé du monde. Le thé est cultivé dans de vastes plantations, au nord, dans les plaines d'Assam et de Darjeeling. Il pousse dans les endroits bien arrosés par les pluies, où le sol est bien drainé et où les terres sont cultivées en **terrasses** pour prévenir l'**érosion du sol**. La préparation de la terre, le sarclage des plantations et le ramassage des feuilles demandent une nombreuse main-d'œuvre.

Le centre de l'Inde
Tu y verras des champs de coton, d'oléagineux et de céréales comme le millet. On cultive du riz et de la canne à sucre dans les régions côtières du sud et de l'est, car le climat y est plus humide. Le riz basmati pousse sur les contreforts de l'Himalaya.

Le Sud
Ici poussent les cocotiers. On y cultive aussi des hévéas (utilisés pour fabriquer le caoutchouc), des épices, du café, des bananes et des noix de cajou.

▼ Les feuilles de thé sont placées dans une hotte sur le dos du cueilleur.

Le sais-tu?

La plupart du riz produit en Inde chaque année est consommé à l'intérieur du pays, sauf le riz basmati qui est exporté.

Incroyable mais vrai!

En 2001, l'Inde a produit 22,5 % de la récolte de riz mondiale; elle est ainsi devenue le second producteur mondial après la Chine.

▼ Cette carte montre les zones de production des denrées alimentaires.

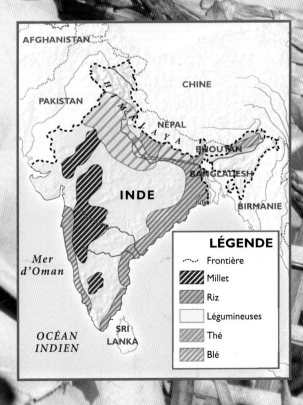

AFGHANISTAN

CHINE

PAKISTAN

HIMALAYA

NÉPAL

BHOUTAN

BANGLADESH

INDE

BIRMANIE

Mer d'Oman

OCÉAN INDIEN

SRI LANKA

LÉGENDE

- - - Frontière

Millet

Riz

Légumineuses

Thé

Blé

13

Visiter les villes indiennes

Bombay

C'est la plus grande ville et le plus grand port d'Inde, et la capitale industrielle. On y fabrique des textiles de coton, des machines, des produits chimiques et des automobiles.

C'est aussi la capitale du cinéma – Bollywood – où l'on produit plus de films que dans n'importe quel autre endroit du monde. Si tu visites la ville, tu verras une grande richesse mais aussi des **bidonvilles** où les enfants errent, livrés à eux-mêmes.

New Delhi

New Delhi est la capitale de l'Inde. C'est un centre d'affaires important avec ses nombreux bureaux et banques. Il y a aussi des usines qui fabriquent de l'électronique, des appareils électriques, des produits chimiques, des textiles et des pièces automobiles.

Calcutta

C'est la seconde ville d'Inde. Comme dans d'autres villes, la richesse y côtoie la très grande pauvreté, le chômage et la surpopulation.

▲ Les affiches des films de « Bollywood » sont spectaculaires, à l'image des films eux-mêmes.

Un enfant de Bombay

Deepi a 12 ans et vit avec ses parents dans une grande maison de Bombay. Le père de Deepi est un scientifique. Il travaille dans l'industrie chimique et fabrique des médicaments. Sa mère est professeure. Deepi et son frère vont à l'école tous les jours. Plus tard, Deepi veut être médecin.

▶ Les bidonvilles de Calcutta hébergent beaucoup d'enfants des rues.

Un enfant de Calcutta

Manni, âgé de huit ans, est orphelin; il vit dans la rue. Tous les jours, il trie les ordures et mendie de la nourriture ainsi qu'un abri pour la nuit. Parfois, de riches touristes lui donnent quelques roupies.

▲ Delhi grouille de gens, de circulation et aussi de vaches qui errent où bon leur semble.

Bangalore

Bangalore, dans le centre de l'Inde, est considérée comme la ville la plus moderne du pays. Elle possède de grands parcs, de grandes avenues et des magasins modernes. Bangalore est la capitale de la haute technologie en Inde; elle est aussi réputée pour ses industries informatique, aéronautique et ses services de **télécommunications** internationaux.

15

Pourquoi l'Inde attire-t-elle les touristes?

Les choses à faire et à voir

L'Inde est un pays fascinant. C'est une destination qui attire les gens en mal d'aventure. Chaque année, des touristes du monde entier y affluent.

Le Triangle d'or

De nombreux touristes commencent leur visite par le « Triangle d'or ». Ils partent de Delhi, puis vont à Agra voir le célèbre Taj Mahal. Ils s'arrêtent ensuite à Jaipur, surnommée la «ville rose » parce que ses immeubles anciens sont de couleur jaune-rose.

▼ Près de 20 000 ouvriers ont travaillé à la construction du Taj Mahal.

Le Gange

D'autres touristes vont en Inde pour faire un **pèlerinage** sur le Gange, fleuve sacré. Ils participent à des cérémonies et des fêtes religieuses.

Vacances au bord de la mer

Pour beaucoup de touristes, Goa est la ville à ne pas manquer. Elle est très appréciée pour ses plages et l'eau chaude de la mer d'Oman. Certains en profitent pour s'essayer aux sports nautiques

◀ Les plages de Goa sont bordées de palmiers. Tôt le matin ou tard le soir, tu verras des pêcheurs tirer leur prise sur la plage avec de grosses cordes. Ils seront très contents si tu proposes de les aider.

comme la planche à voile et la voile.

D'autres visitent les petits villages de pêcheurs et se promènent dans les marchés animés et colorés. On y trouve de magnifiques soieries, des figurines sculptées, de l'argenterie et des cuivres, des bijoux et des tapis. Les touristes s'amusent à marchander avec les vendeurs et font parfois d'excellentes affaires.

Incroyable mais vrai!

La construction du Taj Mahal à Agra a duré 23 ans. Il a été édifié par l'empereur Shah Jahan en mémoire de sa seconde épouse, Mumtaz Mahal, décédée en 1630 en donnant naissance à son bébé. Le chagrin de l'empereur a été tel que ses cheveux, dit-on, ont blanchi en une nuit.

▼ Les marchés locaux proposent des étoles, des couvertures et des tissus chamarrés.

17

Voyager en Inde

En route!

L'Inde est un pays très vaste et tu utiliseras probablement différents moyens de transport pour te déplacer. Le pays possède le réseau de chemin de fer le plus développé d'Asie.

▼ La plupart des gens ne possédant pas de voitures, les transports publics de toutes sortes sont toujours bondés.

Les pousse-pousse

Le **pousse-pousse** est la plus ancienne forme de transport sur roues. Aujourd'hui, des millions de pousse-pousse sont encore en usage. Ils transportent des hommes d'affaires qui vont travailler, des enfants qui vont à l'école, des gens qui vont faire leurs courses et des touristes séduits par ce mode de transport bon marché.

◀ Calcutta est la seule ville où l'on trouve encore des pousse-pousse tirés par des hommes à pied. Dans les autres villes, les conducteurs de pousse-pousse sont à vélo.

Extrait du journal de Geeta, qui raconte son premier voyage en pousse-pousse

Des voies de circulation très encombrées

Dans les villes indiennes surpeuplées, tu seras surpris par l'encombrement des rues principales. Elles sont saturées de voitures, d'autobus, de camions, de pousse-pousse, de charrettes tirées par des boeufs, de vélos et de piétons, chacun cherchant à se frayer un chemin. L'extrême densité de la circulation a sérieusement augmenté le taux de pollution et constitue une menace pour l'environnement.

Dans les campagnes indiennes, où les routes sont en mauvais état et rendent les trajets en voiture très inconfortables, les autochtones se déplacent souvent dans des charrettes tirées par des boeufs. Le voyage est long mais plus sûr.

Il faisait très chaud à l'intérieur du pousse-pousse. Nous avancions très lentement dans une atmosphère bruyante, en étant fortement secoués. La rue grouillait de gens, de vélos, d'autres pousse-pousse, de motocyclettes, de charrettes, de camions surchargés, de voitures, d'autobus avec des gens sur les toits et accrochés aux fenêtres, de mendiants et de vaches maigres et bossues.

19

Le Gange

L'énergie vitale de l'Inde

Si tu voyages le long du Gange, tu franchiras environ 2478 km en Inde avant d'arriver au Bangladesh, où le fleuve se jette dans le golfe du Bengale. Le Gange est l'énergie vitale du pays. Plus de 350 millions de personnes utilisent l'eau du fleuve dans leur vie quotidienne – à la maison, pour boire, faire le ménage et la lessive; dans les usines et dans les fermes. Le fleuve est aussi une voie de communication.

Un fleuve sacré

Ce fleuve est au cœur des croyances religieuses indiennes. Les **Hindous** considèrent que le Gange est la déesse Ganga; c'est pourquoi son eau est sacrée. Tout le long du fleuve se trouvent des **ghats** qui permettent aux **pèlerins** d'accéder au fleuve pour s'y baigner. Les Indiens brûlent leurs morts sur ses rives et jettent les cendres dans son eau, croyant que la déesse Ganga emmènera le défunt au paradis.

▼ Bénarès est la ville la plus sacrée d'Inde, où des milliers de pèlerins viennent se baigner dans le fleuve. En hiver, ils bravent des températures glaciales pour observer ce rituel.

▲ Le Saddhus est un saint homme hindou qui quitte la vie ordinaire pour se consacrer à la pratique religieuse.

Lis cet extrait de l'autobiographie d'Anil.

J'avais 11 ans la première fois que je me suis baigné dans le Gange avec mon père. Un matin tôt, nous avons marché en compagnie de milliers d'autres hindous jusqu'au ghat. Là, nous avons prié, allumé des lampes que nous avons posées sur l'eau. Je n'oublierai jamais la vision de cette multitude de lampes qui flottaient dans la brume du petit matin.

Voyager le long du Gange

Début du voyage

Si tu décides de suivre le cours du fleuve, ton voyage débutera à sa source, au **glacier** de Gangotri, dans les contreforts de l'Himalaya. À mesure que le Gange progresse à travers le nord de l'Inde, tu verras combien cette région a été affectée par la coupe des arbres.

▶ La **déforestation** au nord de l'Inde entraîne une grave érosion du sol.

Le canal du Gange supérieur

Le **canal** du Gange supérieur prend de l'eau du fleuve pour **irriguer** les terrains agricoles. Ainsi, il est possible d'effectuer une seconde récolte chaque année, après que la première a été arrosée par les pluies de la **mousson**.

Kanpur

Tu t'arrêteras ensuite dans la ville industrielle de Kanpur. Ici, les usines de cuir et de textile rejettent dans le fleuve des produits chimiques (chlore, teintures…). Cette pollution industrielle ajoutée aux eaux usées des habitants et aux cendres des morts incinérés au bord du fleuve pollue l'eau du Gange et la rend très dangereuse pour la santé.

▼ L'eau du fleuve sert à irriguer les rizières, permettant ainsi d'effectuer un plus grand nombre de récoltes.

La ville de la soie

Le fleuve traverse Bhagalpur, la ville de la soie. La soie provient du cocon tissé par les vers à soie. Le filage de la soie s'effectue encore essentiellement à la main.

La fin du voyage

Juste avant que le Gange quitte l'Inde et forme son **delta** au Bangladesh, tu verras le **barrage** de Farakka construit pour améliorer la navigation jusqu'au port de Calcutta.

◀ La forte pollution du Gange rend l'eau très dangereuse pour la santé.

Lis ce texte extrait du journal de bord d'un touriste.

Impressions d'Inde du Nord

Dans beaucoup d'endroits, les arbres ont été coupés. Les autochtones utilisaient une partie du bois comme combustible et matériau de construction, mais une compagnie d'exploitation forestière internationale a coupé la plupart des arbres. Lors de la dernière mousson, le terrain a été emporté, car il n'y avait plus rien pour le retenir. On n'entendait plus aucun chant d'oiseau ou cri d'animal.

L'alimentation indienne

▶ Un vendeur de rue laisse couler des filets de pâte à beignets dans l'huile bouillante.

Je m'appelle Srinvas. Je vis dans le sud de l'Inde. Nous mangeons des idlis (gâteaux de riz cuit à la vapeur) et des doshe (crêpes à la farine de riz). J'adore le bhujia et le sambar (ragoûts de légumes très épicés) servis avec du kerri (sauce épicée).

Je m'appelle Raju. Je suis sikh et je vis dans le Penjab. J'aime manger des parathas (pain), du curry d'agneau et des pommes de terre cuites avec des épices.

Je m'appelle Suribi. J'habite Goa. J'aime le canard de Bombay. Ce n'est pas un canard, c'est du poisson cuisiné en curry ou bien frit.

Je m'appelle Nitan et je vis au Cachemire. Mes plats préférés sont le rogan josh (curry d'agneau), les koftas (boulettes de viande épicées) et le yakhni (ragoût aux graines de fenouil et au curry).

La cuisine indienne

La cuisine indienne est colorée et épicée. En visitant l'Inde, tu auras l'occasion de manger différents repas en fonction de ce qui est cultivé et de la religion pratiquée dans la région. Beaucoup d'Indiens sont végétariens. Les **hindous** ne mangent pas de boeuf et les **musulmans** ne mangent pas de porc.

Comment manger?

Même si l'on utilise fourchettes et couteaux en Inde, manger avec les doigts de la main droite est un signe de bonne éducation. Ainsi, tu es en mesure de sentir et d'apprécier la texture des aliments.

Les desserts indiens

Les ladoos, halva et burfi sont de délicieux desserts à base de produits laitiers. Les boissons les plus courantes sont le lassi (une boisson fraîche à base de babeurre), le lait de coco et le chai (thé).

▲ Écrase fermement les aliments avec tes doigts, puis porte-les à ta bouche.

▼ Les épices sont vendues au poids.

Visiter les lieux sacrés

Le maître de Geeta lui a demandé de faire des recherches sur les religions indiennes et les lieux sacrés pendant ses vacances chez ses grands-parents à Bombay. Lis les extraits de son carnet de voyage.

Le bouddhisme

* Beaucoup d'adeptes du bouddhisme vivent dans des endroits retirés de l'Himalaya.

* Certains **bouddhistes** sont venus du Tibet, qui se trouve au nord de l'Inde.

* Les bouddhistes ne font du mal à aucun être vivant.

* Les bouddhistes peignent des prières sur des morceaux de tissu appelés drapeaux de prière. Ils les suspendent à des cordes tendues dans les airs, comme des cordes à linge, car ils espèrent que les prières voyageront grâce au vent.

LIEU À VISITER

Le monastère de Leh, au Ladakh, à l'extrême nord de l'Inde.

L'islam

* Les croyants en l'islam sont des musulmans.

* Le Coran est le livre sacré de l'islam.

* Les musulmans pensent que le Coran contient les mots exacts qu'Allah (Dieu) a dit à Mohammed, son prophète sur Terre.

* Les musulmans pratiquent leur religion dans les mosquées.

* Pendant les prières, cinq fois par jour, ils lisent des extraits du Coran.

LIEU À VISITER

Le Cachemire est une région où vivent beaucoup de musulmans.

▼ Le monastère bouddhiste de Leh au Laddakh

▶Le Temple doré est bâti sur un magnifique bassin. Les visiteurs doivent enlever leurs chaussures.

▶Les hindous offrent des bâtons d'encens, des bonbons et des fleurs à leurs dieux.

Les sikhs

* La religion sikh fait des emprunts à l'hindouisme et à l'islam.
* Le livre sacré est le Guru Granth Sahib. Il est conservé au Temple d'or.
* Les hommes **sikhs** ne doivent jamais couper leurs cheveux ou leur barbe. Leurs cheveux sont enroulés sous un turban.

LIEU À VISITER
Le Temple d'or (Gurdawa) à Amritsar, Penjab.

L'hindouisme

* Quatre-vingts pour cent de la population indienne est de religion hindoue.
* Les hindous pensent que les dieux et les déesses hindous représentent les différentes qualités et pouvoirs du Dieu suprême.
* Les hindous pensent que les dieux et les déesses vivent dans des **temples** et lieux saints.
* Les hindous célèbrent de nombreuses fêtes – Diwali et Holi par exemple.
* Les hindous pensent que les points de confluence des rivières sont sacrés. On construit des quais équipés de marches (ghats) au bord du Gange pour permettre aux pèlerins de se baigner plus facilement dans l'eau du fleuve.

LIEU À VISITER
Allahabad, le point de rencontre du Gange, du Yamuna et de la Saraswati, rivière mythique, est le lieu le plus sacré sur la Terre et où les hindous peuvent se baigner.

▶Une petite fille hindoue fait une offrande aux dieux.

Glossaire

barrage
ouvrage construit par l'homme en vue de retenir l'eau d'une rivière ou d'un fleuve et de créer un lac à l'arrière

bidonville
quartier très pauvre d'une ville

bœuf
animal utilisé par l'homme pour les travaux agricoles

bouddhiste
adepte du bouddhisme, une religion d'Inde et d'Asie

canal
cours d'eau artificiel

continent
grande étendue de terre limitée par un ou plusieurs océans. Le monde compte sept continents.

déforestation
destruction des forêts

delta
zone de terrain plat où un fleuve se jette dans la mer

égout
système d'évacuation des eaux usées rejetées par les habitations ou les industries

érosion du sol
quand le sol est emporté après usure

exportateur
personne ou société qui vend des produits à l'étranger

ghat
quai ou grandes marches sur les berges des rivières indiennes permettant d'accéder à l'eau

glacier
masse de glace et de neige qui se déplace lentement

hindou
adepte de l'hindouisme, une des principales religions d'Inde

industrie
groupe d'entreprises fabriquant un produit spécifique, comme l'acier

irrigation
procédé qui permet de dévier l'eau d'une rivière par un système de canaux afin d'arroser les cultures

Mohammed
prophète de l'islam

mosquée
lieu où se rassemblent les musulmans pour prier

mousson
saison humide annuelle qui dure 3-4 mois

musulman
adepte de la religion islamique

pèlerinage
voyage à visée spirituelle

pèlerin
personne effectuant un pèlerinage

pousse-pousse
petit véhicule tiré par une personne ou une bicyclette

rural
de la campagne

sacré
qui fait l'objet d'un sentiment d'adoration religieuse

sikh
membre d'une communauté religieuse de l'Inde

télécommunications
réseau de téléphone, de radio et de télévision

temple
lieu de prière des hindous et des bouddhistes

terrasses
dans les terrains en pente, cultures en étages soutenues par de petits murs

urbain
de la ville

Index

Idées d'activités pour les enfants

Les activités suivantes développent l'approche « enquête » géographique et contribuent à promouvoir la réflexion et la créativité. Les activités de la section A sont conçues pour aider les enfants à développer une réflexion d'ordre supérieur, basée sur la taxinomie de Bloom. Les activités de la section B sont conçues pour promouvoir différents types d'apprentissage basés sur la théorie des intelligences multiples de Howard Gardner.

A : ACTIVITÉS VISANT À DÉVELOPPER LA RÉFLEXION

ACTIVITÉS VISANT À PROMOUVOIR LA RECHERCHE ET LE SOUVENIR DES FAITS

Demander aux enfants de :

• fabriquer un livre pour jeune enfant sur le mode alphabétique décrivant les lieux en Inde (exemple : leurs caractéristiques physiques et artificielles, le temps, l'industrie).

• rechercher et étudier un environnement montagneux (l'Himalaya, par exemple), présenter leur information sous la forme d'une affiche ou d'une présentation PowerPoint.

ACTIVITÉS VISANT À PROMOUVOIR LA COMPRÉHENSION

Demander aux enfants de photocopier une carte simple ou une photo de l'Inde sur une feuille. Répartir les enfants en groupes de quatre ou six. Dans leur groupe, leur demander de s'attribuer chacun un numéro et d'envisager des stratégies pour reproduire l'image photocopiée. Appeler chaque numéro, un par un, pour observer l'image pendant 2 minutes. Demander au numéro appelé de regagner sa place et de dessiner ce dont il se souvient. Donner aux enfants cinq minutes pour effectuer ce travail. Puis appeler le numéro suivant, et ainsi de suite. À la fin, montrer aux enfants l'original et leur demander d'évaluer le travail de chaque groupe.

ACTIVITÉS VISANT À PROMOUVOIR LA CAPACITÉ À RÉSOUDRE LES PROBLÈMES

Demander aux enfants de :

• trouver, dans des livres ou sur Internet, comment faire des chapatis.

• rédiger des notes expliquant pourquoi les rues des villes indiennes sont si polluées et congestionnées.

ACTIVITÉS VISANT À FAVORISER LA RÉFLEXION ANALYTIQUE

Demander aux enfants de :

• comparer la vie dans un village indien à la vie dans une ville.

• écrire un article de journal sur les activités de sport ou de loisirs en Inde.

ACTIVITÉS VISANT À PROMOUVOIR LA CRÉATIVITÉ

Demander aux enfants de :

• représenter l'Himalaya ou une rizière par la peinture ou le collage.

• faire une recherche de vocabulaire – incluant des noms géographiques – relative à l'environnement physique des hauts plateaux de l'Himalaya.

ACTIVITÉS VISANT À APPRENDRE AUX ENFANTS À UTILISER LES TÉMOIGNAGES POUR SE FORGER UNE OPINION ET À ÉVALUER LES CONSÉQUENCES DES DÉCISIONS

Demander aux enfants de :

• écrire un rapport sur qui est susceptible ou non d'apprécier la mousson en Inde.

• imaginer les conséquences d'une mousson qui n'apporterait pas de pluie.

B : ACTIVITÉS BASÉES SUR DIFFÉRENTS TYPES D'APPRENTISSAGE

ACTIVITÉS POUR UN APPRENTISSAGE DE LA LANGUE

Demander aux enfants de :

• écrire un texte pour promouvoir l'Inde comme destination touristique.

• écrire un article de journal sur les embouteillages à Calcutta ou Bombay.

ACTIVITÉS POUR UN APPRENTISSAGE LOGIQUE ET MATHÉMATIQUE

Demander aux enfants de trouver quelle était la population de l'Inde et de certaines villes de l'Inde ces dix dernières années, comparer les données obtenues et les représenter sous forme de graphiques.

ACTIVITÉS POUR UN APPRENTISSAGE VISUEL

Demander aux enfants de :

• situer sur une carte les plus grands fleuves et villes de l'Inde.

• concevoir une affiche ou une carte postale représentant la vie à Bombay.

ACTIVITÉS POUR UN APPRENTISSAGE KINESTHÉSIQUE

Demander aux enfants de :
• faire une maquette du Gange, de sa source à son embouchure.
• inventer une danse célébrant l'arrivée de la mousson, le grossissement des rivières et la croissance d'une nouvelle végétation.

ACTIVITÉS POUR UN APPRENTISSAGE MUSICAL

Demander aux enfants de :
• écouter de la musique indienne et identifier les instruments utilisés.
• composer et jouer un air simple représentatif des rythmes indiens.

ACTIVITÉS POUR UN APPRENTISSAGE INTERPERSONNEL

Demander aux enfants d'organiser l'accueil d'un visiteur indien incapable de communiquer dans une langue connue de tous.

ACTIVITÉS POUR UN APPRENTISSAGE INTRAPERSONNEL

Demander aux enfants de décrire une promenade en pousse-pousse dans une ville indienne.

ACTIVITÉS POUR UN APPRENTISSAGE NATURALISTE

Demander aux enfants de rédiger des notes sur les avantages et les inconvénients de la déforestation sur les contreforts de l'Himalaya, puis de préparer un discours introductif à un débat pour ou contre la déforestation de ce lieu.

La collection de livres **Voyages autour du monde** propose une information actualisée et pluridisciplinaire (géographie, lecture, écriture, calcul, histoire, éducation religieuse, citoyenneté). Elle permet aux enfants d'avoir une vue d'ensemble de chaque pays et des éléments qui reflètent la grande diversité des modes de vie et de culture.

Elle vise à prévenir les préjugés et les stéréotypes qui ne manquent pas de surgir quand une étude se focalise trop rapidement sur une petite localité à l'intérieur d'un pays. Elle aide les enfants à forger cette vue d'ensemble et aussi à comprendre l'interconnexion des différents lieux. Elle contribue également à enrichir leurs connaissances géographiques et à leur faire comprendre le monde qui les entoure.